una fiaba in tasca

GW00647767

La dinastia dei Poltroni

Testo tratto da: *Filastrocche in cielo e in terra* di Gianni Rodari
© 1980 Maria Ferretti Rodari e Paola Rodari per il testo
© 2012 Edizioni EL, San Dorligo della Valle (Trieste)
ISBN 978-88-477-2935-3

www.edizioniel.com

una fiaba in tasca

La dinastia dei Poltroni

di Gianni Rodari

illustrata da Fabiano Fiorin

Edizioni EL

Dunque se state buoni
oggi vi spiego
la dinastia dei Poltroni.

Capostipite e fondatore
fu re Poltrone Primo,
detto il Dormitore,
che regnò su Poltrònia
vent'anni e un palmo.
Dopo di lui, nell'ordine,
regnarono:

Poltrone Secondo, detto il Calmo;

Poltrone Terzo,
detto il Cuscinetto;

Poltrone Quarto,
inventore dello scaldaletto;

Poltrone Quinto,
detto lo Spinto,
perché se non lo spingevano
sul trono
s'addormentava sui gradini;

Poltrone Sesto,
lo Schiacciapiumini;

Poltrone Settimo,
il Riposato;

Poltrone Ottavo, detto il Nono
per isbaglio;

Poltrone Decimo,
detto Accidenti-alla-sveglia
(sposò la regina Sbadiglia
ed ebbero per figli
diciassette sbadigli).

Infine la corona
coronò la pelata
di Poltrone Undicesimo,
detto il Medesimo,
perché per lui tutto
faceva lo stesso:
il bello, il brutto,
la pace, la guerra,
il cielo, la terra,
la frittata, il ragú,
la lepre in salmí.
Con lui la dinastia finí.

una fiaba in tasca

Alice nel paese delle meraviglie

Sinbad il marinaio

La piccola fiammiferaia

La volpe e la cicogna

Il leone e il topo

L'omino di pan di zenzero

Il cacciatore sfortunato

La strada di cioccolato

Una viola al Polo Nord

I capelli del gigante

La dinastia dei Poltroni

È in arrivo un treno carico di...

Finito di stampare nel mese di settembre 2012
per conto delle Edizioni EL
presso Graphart Printing S.r.l., San Dorligo della Valle (Ts)